Chevaliers
et châteaux forts

Philippe Brochard

Chevaliers
et châteaux forts

Illustrations de Eddy Krähenbühl

Nathan ◆ Monde en Poche
Collection dirigée par Daniel Sassier

Le refuge

Dans la brume qui s'élève ce matin-là au-dessus du fleuve, personne ne pourrait dire où se trouve le castel des Gannand. Bertrand le troubadour, lui qui connaît si bien l'endroit, semble avoir perdu le sens de l'orientation. Ses compagnons se serrent frileusement autour de lui : ce sont des ménestrels – musiciens, jongleurs, montreurs de tours et d'animaux savants. Ils se sont égarés la veille au soir et ont dû passer la nuit dans une cabane abandonnée, perdue au milieu des bois. Ils n'ont pas dormi, effrayés par les bruits de la forêt.

Bertrand sait que le refuge est proche : un château ou, plutôt, un camp fortifié avec, en son milieu, deux énormes tours. Le troubadour a quitté le pays depuis douze ans.

Il était encore presque un enfant lorsque ses parents l'ont confié à un prêtre. Comme tout cela est loin !.. Mais Bertrand se souvient avec précision du château des Gannand.

◆ Des hommes sans peur

Il s'agit d'une famille connue depuis fort longtemps ; voici près de trois siècles qu'elle règne sur la région. Au début, il y a eu un certain Bérulf, originaire du lointain village de Gannand. Il vivait en l'an 950. Le duc de Bourgogne avait alors besoin d'hommes pour défendre ses frontières. Le danger pouvait surgir de tous côtés : on parlait encore de pillards sarrasins (arabes), de Vikings et Mongols.

Bérulf s'était fait remarquer à la cour du duc ; il était fort, intrépide, courageux, presque téméraire. Avec ses dix compagnons – dix seulement ! –, il a reçu pour mission de contrôler une région sauvage et mal connue, proche des montagnes d'Auvergne.

Bérulf a rapidement découvert l'endroit propice : une sorte de forteresse naturelle. Au confluent du fleuve et d'une rivière s'élevait un rocher solitaire, entouré par la forêt.

Il a d'abord fallu défricher : deux mois de travail acharné pour dégager un minuscule espace. Les troncs d'arbres ont servi à construire un début de

fortifications et une tour carrée en bois. Le premier hiver a été terrible : quatre hommes sont morts de froid et de faim.

Mais Bérulf tenait bon. Le duc lui a envoyé de l'aide. C'est ainsi qu'il a pu repousser une attaque venue de l'ouest. La tour de bois a brûlé. Bérulf l'a reconstruite.

Derrière les remparts,
le donjon de Loches.

◆ Un lieu sûr

Plus tard, pour mieux se fortifier, il en a fait dresser une seconde, en pierres. En basalte, une roche d'origine volcanique qui abonde dans la région.

Les années ont passé ; peu à peu, la paix s'est imposée dans le pays.

Des paysans sont venus s'y installer. Ce sont eux

qui ont donné leur nom au château : le Roncier. Il y avait en effet tant de ronces à arracher avant de cultiver la terre !

A cette époque-là, de nombreux châteaux du même genre se bâtissaient dans toute l'Europe. Pour quelle raison ? Partout la même : le besoin d'être en sécurité.

Bertrand et ses compagnons le savent bien, eux qui viennent de passer une nuit aussi effrayante.

Enfin, le soleil ; la brume s'éclaircit. Le troubadour distingue déjà la silhouette du château. Mais que se passe-t-il ? Il ne reconnaît plus la forme familière du castel des Gannand. Les bâtiments ont l'air d'avoir grandi, de s'être multipliés.

Sa mémoire serait-elle infidèle ? Non. Il reconnaît bien l'endroit : le fleuve, la rivière, le rocher. Mais là où se trouvait une simple palissade de bois, un large fossé a été creusé et rempli d'eau. Le vieux château de Bérulf est devenu une véritable forteresse.

Un modèle de château fort

Bertrand et ses ménestrels ont enfin retrouvé le chemin qui conduit au château. A leur appel, des gardes ont abaissé le pont-levis.

Dès son entrée, le troubadour comprend qu'en douze années, « son » château a connu de formidables transformations.

Les Gannand sont maintenant de puissants seigneurs. Le duc de Bourgogne et le roi de France comptent sur eux pour défendre ce pays toujours menacé.

Les bâtisseurs ont fait d'énormes progrès. Ils ont rapporté des Croisades des techniques nouvelles. En cette année 1240, le château du Roncier prend une allure d'exemple.

◆ Cours et courtines

Les bâtiments sont nettement divisés en deux parties.
Le rocher d'origine, qui porte une énorme tour,
est entouré d'une première enceinte,

elle-même doublée par une autre ligne de murailles qui délimite une surface capable d'abriter un village entier.

Les maçons ont bien travaillé : regardons-les à l'ouvrage. Chaque mur est construit en trois parties.

Des blocs de pierre
sont d'abord taillés,
élevés et maçonnés de façon
à former deux murs parallèles.
Ce sont les *parements*. Le vide réservé
entre les deux est rempli progressivement
par du mortier, de la terre, du bois ou des pierres :

c'est le *blocage* qui donne sa vraie solidité à la muraille.

L'ensemble des murs enferme une vaste cour : on les appelle donc des *courtines*. Elles constituent la principale défense du château.

A l'extérieur, elles sont doublées par une ligne de palissades en bois, les *lices*, qui forment les protections les plus avancées.

Et l'eau : d'un côté, le fleuve ; d'un autre, la rivière. Et d'un autre encore, le fossé – qui est une *douve* lorsqu'il est rempli d'eau.

Maintenant, quand le pont-levis est relevé, le château devient réellement inaccessible.

◆ Haute et basse-cour

La partie basse du château est la plus animée.

Forgeron, sellier, menuisier, tisserand… chacun y a sa place, son atelier et sa maison. Des paysans cultivent même dans cette cour un minuscule potager (il fournira des légumes !).

Des porcs, quelques poules, un chien. Et près du puits, un cheval qu'un palefrenier fait boire.

Un chemin dallé traverse la basse-cour et monte rapidement vers la seconde cour. Un petit pont-levis en défend l'accès. Il faut ensuite passer sous une deuxième porte apparemment inoffensive. Ne nous y trompons pas : en cas de danger,

une lourde grille tomberait d'un bloc par une fente dissimulée dans le mur.

Cette haute-cour est le quartier du seigneur.

Au centre, le donjon. C'est la tour la plus grosse. Un bloc massif, tout en pierres du volcan, haut de vingt mètres environ. Le donjon a une forme trapue, celle qui résiste le mieux aux travaux de sape et de

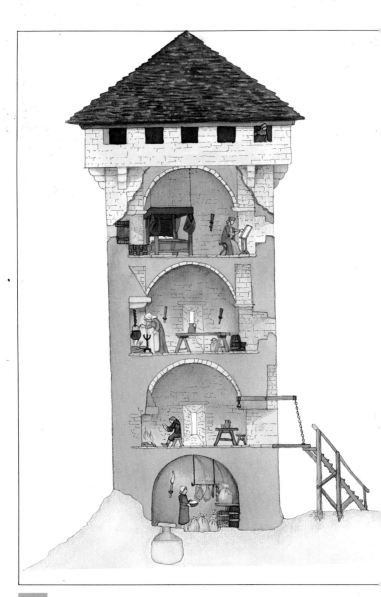

mine, en cas de siège. Il a été bâti au cours du 11e siècle pour remplacer la tour de bois du temps de Bérulf.

Il est formé de quatre étages. Au rez-de-chaussée, aucune ouverture n'a été percée afin de ne pas affaiblir sa défense. L'intérieur regorge de réserves, nourriture et armement.

La porte d'entrée se trouve au premier : on y accède par un escalier de bois, très raide, qui sera détruit en cas de danger. Le donjon est en effet la dernière protection du château : elle doit donc être la plus solide. On a vu des seigneurs résister plusieurs semaines dans leur donjon !

Au second étage : salle d'armes et cuisines.

Au troisième, une vaste salle qui est à la fois salle à manger, chambre à coucher et lieu de travail du seigneur. Tout en haut, sous la toiture, des hommes guettent. Par temps clair, la vue porte à plusieurs kilomètres.

◆ Une mission : la défense

Le château fort est conçu pour se défendre. Toujours en travaux, il s'améliore constamment. Le duc de Bourgogne, le roi de France et les autres seigneurs se reposent sur la solidité de leurs forteresses.

Au-dessus de l'Aveyron, le château fort de Najac.
Il a été construit aux 12ᵉ et 13ᵉ siècles.

LE POUVOIR DU SEIGNEUR

Le territoire qu'un seigneur contrôle ne lui appartient pas en propre. Il le détient seulement sous son *ban* – son autorité. Tout ce qui dépend de cette autorité est *banal* : le moulin qu'il a construit, le four où tous les gens du village viennent cuire leur pain. Pour les utiliser, ils doivent verser une sorte de taxe, une *banalité*.

La *bannière* – ou drapeau – qui claque au sommet du donjon est la marque du pouvoir seigneurial. « Chacun seigneur est baron en sa baronnie », dit-on au Moyen Age pour résumer cette idée.

Mais tout seigneur a prêté *hommage* – serment de fidélité – à un personnage plus puissant. C'est son *suzerain* (supérieur), il est son *vassal* (subordonné). Le roi est le suzerain de tous les seigneurs.

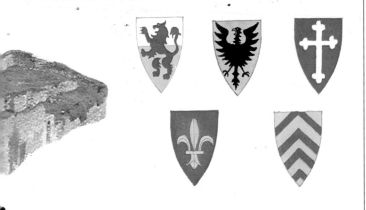

Grâce à un système très serré de *vassaux* et de *suzerains*, le pays tout entier vit en sécurité.

◆ Le maître de l'œuvre

Nul besoin d'une énorme garnison. Quelques dizaines d'hommes suffisent : les murs valent des armées ! Mais le métier du seigneur est de faire la guerre : il n'a pas construit ce château de ses propres mains.

Un homme a imaginé, conçu un plan pour le château des Gannand : c'est le maître de l'œuvre.

Architecte et stratège, il est autant capable de dessiner le plan d'un bâtiment que de construire une catapulte ou de conduire une bataille.

Du château, il connaît tous les secrets, les pièges et les souterrains qui permettront peut-être un jour de s'échapper ou de recevoir du ravitaillement en cas de siège prolongé.

Le maître de l'œuvre est un *clerc*, c'est-à-dire un homme qui a fait des études, qui sait lire le latin et le grec. Il a sous ses ordres une petite équipe d'artisans, spécialistes de leur métier. Maçons, charpentiers... qu'il faut payer. Le seigneur de Gannand a dû limiter ses projets pour ne pas s'endetter.

Il est riche,
mais il engloutit
sa fortune entière
dans le château.

La journée du seigneur

Lorsque Bertrand le troubadour pénètre dans le château, ses habitants sont déjà en pleine activité.

Arnoul VI de Gannand, seigneur du Roncier, s'est levé tôt ce matin-là, comme il le fait souvent. Un serviteur est venu l'éveiller dès les premiers rayons du soleil, alors qu'il dormait encore aux côtés de son épouse, Mahaut.

Arnoul a d'abord écarté légèrement les courtines du lit : il s'agit, non pas des murs du château, mais des rideaux qui ferment le lit pour conserver la chaleur et l'intimité.

Parfois, le seigneur n'a pas de chambre à coucher. Il dort dans la grande salle, à peine séparé des autres par une tenture.

Arnoul s'est levé rapidement, en voyant qu'on lui avait apporté son broc d'eau chaude pour la toilette. Puis, propre et rasé, il s'habille.

Cet homme, si nous le voyions parmi nous, ne nous surprendrait pas beaucoup par son allure.

Hâlé par le soleil et le vent, musclé grâce aux efforts physiques, il nous paraîtrait cependant un peu petit. Les hommes du 13e siècle mesurent rarement plus de 1,60 mètre.

Après avoir enfilé un caleçon et une fine chemise

de lin, Arnoul revêt sa *cotte*, cette sorte de robe comparable à celle que portent encore les moines de nos jours. Depuis les années 1150, en effet, la mode est aux vêtements longs, semblables pour les hommes et les femmes. Celles-ci cependant ajoutent, par-dessus leur cotte, un *surcot* (ou sur-cotte) de couleur gaie et en tissu épais.

◆ Une matinée de travail

Arnoul commence la journée par le déjeuner ; ce mot signifie très exactement « sortir du jeûne » ou de l'absence de nourriture due à la nuit. Quelques légumes, du lard froid et une belle tranche de pain.

L'estomac rassasié, il descend alors l'escalier en pierre qui le conduit à la salle d'armes. Il y prend les nouvelles de la garde de nuit, donne quelques ordres, vérifie la bonne tenue des armes et des vêtements. La garnison du château compte 25 soldats qui se relaient pour monter la garde.

Lorsque les travaux de construction seront terminés, le château fort d'Arnoul emploiera peut-être 50 ou 60 hommes, pas beaucoup plus.

Les soldats sont des gens de la campagne qui ont choisi ce métier par goût et par nécessité. Ils ont été instruits et équipés aux frais du seigneur.

Arnoul ne reste pas longtemps avec eux. Un autre travail l'attend dans la basse-cour.

C'est aujourd'hui la Saint-Remi et ce jour-là (1er octobre), la coutume veut que les fermiers viennent

payer les redevances annuelles. Habituellement, c'est un intendant qui se charge de cette tâche ; mais comme elle donne souvent lieu à des disputes et à de longues discussions, le seigneur du Roncier préfère y assister en personne.

◆ Pas de guerriers sans paysans

Les paysans attendent, en file. Il y a là Jean, Renaud, Pierre, Mathieu et bien d'autres.

Arnoul les connaît tous par leur nom.

Il les distingue en deux catégories : les tenanciers et les serfs. Les tenanciers – ainsi nommés parce qu'ils *tiennent* la terre – sont des paysans libres.

Installés depuis trois ou quatre générations, parfois plus, ils exploitent les terrains que leurs ancêtres ont défrichés. Ils doivent à leur seigneur une redevance en nature – volailles, grains, légumes, vin, etc. – et une autre en monnaie.

Les serfs paient les mêmes droits mais n'ont pas la même liberté. Ils ne peuvent quitter le territoire ni se marier sans l'accord d'Arnoul. Ces gens-là sont rares par ici. Dans d'autres pays, ils sont parfois très nombreux, et parfois inexistants.

En les observant tous, paysans libres ou non, Arnoul estime ce que sera son revenu de l'année. Il saura bientôt s'il peut prévoir d'autres travaux dans le château ou s'il doit attendre l'année prochaine.

Le seigneur du Roncier a besoin
de ses paysans qui le font vivre, lui,
son château et ses hommes.
Les gens de la terre, eux,
ne peuvent vivre
sans la protection
du château.

◆ A la chasse

La matinée s'est rapidement écoulée.

Vers midi, Arnoul a pris un repas rapide puis a fait seller son cheval de bataille. Avec quelques compagnons et ses deux fils, il a pris le chemin de la forêt.

Quelques fermiers ont en effet signalé que des sangliers avaient ravagé leurs dernières récoltes.

Arnoul est passionné de chasse. Poursuivre les animaux est, pour lui, l'activité la plus excitante qu'il connaisse. Et la plus utile, car elle permet de nourrir les gens du château et de détruire des bêtes souvent nuisibles.

La chasse est aussi une sorte d'entraînement pour cet homme destiné à se battre.

Fourbu, Arnoul revient au château à la nuit tombante. Le dîner sera animé. A table, un repas copieux l'attend. Il s'agit d'un pot-au-feu savamment parfumé et épicé.

Bertrand le troubadour entonne aussi quelques chansons qui rappellent les aventures légendaires de certains chevaliers.
En réalité, le chanteur amuse surtout les deux fils du seigneur, car Arnoul VI de Gannand, fatigué de sa journée, somnole devant la cheminée.

Banquet, tournoi, jongleurs... Cette miniature date de la fin du 13ᵉ ou du début du 14ᵉ siècle.

Un jeune chevalier

Les années ont passé.

Arnoul, fils aîné d'Arnoul de Gannand, seigneur du Roncier, est devenu un jeune homme fort et actif. En ce jour du mois de mai, il va connaître l'un des plus beaux événements de sa vie : être fait chevalier.

Ce sera une cérémonie importante, à demi religieuse et à demi profane, que les gens du Moyen Age appellent *l'adoubement*.

◆ Une veillée pieuse

Arnoul le Jeune est en prière.

Dans la haute-cour du château du Roncier, le calme règne. Tous les invités, les seigneurs voisins, leurs dames et leurs propres enfants, respectent le recueillement du jeune homme.

Pièce d'un jeu d'échecs,
ce cavalier en ivoire a été sculpté
au 13e siècle.

Dans la chapelle minuscule, un prêtre lui répète inlassablement les principes de chevalerie.

Un chevalier est un homme différent des autres. Il ne doit jamais faillir à l'honneur et, surtout, ne jamais manquer à sa parole. Jamais il ne doit s'en prendre aux plus faibles que lui – femmes, enfants, vieillards et prêtres. Jamais il ne doit oublier les enseignements de l'Église : la messe, les sacrements, la charité, le jeûne et la lutte contre les Infidèles.

◆ Un sacrement brutal

Arnoul le Jeune se tient devant le prêtre. Il communie. Sur l'autel, repose son épée.

Après une dernière bénédiction, il quitte la chapelle. Soudain, le jeune homme se retrouve devant la foule de ses amis et parents.
Une larme coule sur sa joue ;
il tremble légèrement.
Il s'avance sur le *perron*
du château – le haut
de l'escalier du donjon.

Arnoul se met à genoux
devant son parrain,
qui est son oncle,
et lui-même chevalier.
L'assistance se tait,
et participe à l'émotion
du jeune homme.
Chacun sait les vœux
qu'il a faits,
les serments

qu'il a prêtés et qui engagent toute sa vie, tout son avenir.

Que va-t-il se passer ? Arnoul vit presque un rêve. Son parrain s'approche de lui :

– Je te fais chevalier, dit-il. Sois bon, loyal et généreux.

Aussitôt après, il envoie, de la main, un coup brutal sur la nuque de son filleul. Celui-ci chancelle, mais tient bon. Il le regarde droit dans les yeux.

C'est ainsi qu'on devient chevalier. La paumée ou colée est le seul sacrement qui fait de lui un homme

exceptionnel. Son parrain tend alors au jeune homme son épée, son baudrier, ses éperons et son écu.

◆ Le plus beau jour de sa vie

Arnoul le Jeune revêt ces insignes.

Et soudain, il se lance
au bas de l'escalier.

Dans la cour, un page tient par la main droite un cheval tout harnaché : un cadeau de son père. Son futur cheval de bataille !

Le nouveau chevalier s'élance et, pour bien montrer sa force, saute en selle sans prendre appui sur les étriers.

Le cheval se cabre : son cavalier le maîtrise.

Ils partent tous deux vers la basse-cour, sous les acclamations de joie qui éclatent de tous côtés.

Après avoir traversé la cour, ils pénètrent dans les lices où une fête va avoir lieu. Dans quelques instants, Arnoul livrera son premier tournoi de chevalier.

Des jeux de guerre

Arnoul pénètre à l'intérieur des lices.

Son cheval s'appelle Rageant, beau nom pour un destrier – le cheval de bataille.

Arnoul en est fier, plus que de toute autre chose. Cet animal est sa raison d'être : un chevalier est d'abord un cavalier ! La bête a de la noblesse, une robe brune presque noire. Un poil luisant et fin, une longue queue soyeuse, des yeux vifs.

C'est un étalon.

Arnoul le connaît déjà bien : il l'a vu naître. Depuis quatre ans, il suit sa croissance, son éducation que mène le maître des écuries du château.

Aujourd'hui, Arnoul et Rageant devront chacun faire leurs preuves.

◆ La quintaine

Sur l'herbe, auprès du fossé et à l'ombre des hauts murs du château, on a dressé des tentes. Les bannières claquent au vent de mai. Soldats, paysans, artisans, tous les participants à la fête se sentent déjà un peu ivres, ne serait-ce que de l'odeur des fleurs et de l'herbe fraîchement foulée.

Mai est le premier beau mois de l'année : il marque le temps des combats, des premiers tournois, des expéditions guerrières, de l'aventure. Il n'y a pas si longtemps, à cette période de l'année, on allait faire un sacrifice devant le plus gros chêne de la forêt – souvenir d'un temps où les gens croyaient aux forces de la nature, une croyance que les gens d'Église tentent d'effacer.

Au centre des lices, un large espace vide a été aménagé. C'est là que se dérouleront bientôt les rencontres.

En attendant l'arrivée du seigneur, de ses parents et de ses amis, quelques jeunes cavaliers s'exercent. Arnoul est du nombre. On a planté en terre des mannequins portant un écu et une masse d'armes. Brandissant une lance et lancés au galop, les concurrents devront les renverser. C'est la *quintaine*, un jeu d'adresse mais aussi un entraînement. Malheur à celui qui ne réussirait pas son coup : le mannequin pivote et vient frapper de la masse le maladroit !

Les jeunes gens se succèdent, plus ou moins habiles. Leurs coups sont accompagnés par les cris d'encouragement de la foule.

Soudain, l'un d'entre eux manque son but : la masse le heurte avec une violence telle qu'il est désarçonné, et tombe piteusement à terre sous les huées du public. Mais il repart de plus belle.

Et voilà qu'une petite troupe brillamment harnachée sort du château et s'approche de la tribune dressée au bord du terrain. C'est sire de Gannand et les siens. Hommes et femmes rivalisent d'élégance, de tissus délicats, de couleurs éclatantes.

◆ La joute

Un grand silence se fait sur les lices.

Les chevaliers viennent, à cheval, saluer le seigneur du Roncier. Arnoul est en première place. Rageant piaffe d'impatience.

Il y aura d'abord une joute à la lance : deux cavaliers se jettent l'un vers l'autre au galop. Leur lance est épointée : il ne s'agit pas de tuer son adversaire, qui est parfois un frère ou un ami ! Même si le choc est rude, le désarçonner suffit. Tout l'effort de chaque combattant consiste à faire tomber l'autre tout en restant lui-même en selle.

Plusieurs passes d'armes s'échangent. Des concurrents tombent à terre, à leur grande honte. D'autres tiennent.

Un choc résonne soudain plus fort que les autres : deux cavaliers se sont rencontrés à une vitesse telle que les deux lances ont craqué et éclaté en même temps. Ils vacillent un moment mais restent tous les deux à cheval. On applaudit, on crie, on s'embrasse.

◆ Le tournoi

Le jeu s'arrête : tout le monde a faim et soif. Le vin, l'eau et la bière coulent à flots. Mais la journée n'est pas terminée : le seigneur du Roncier a promis à ses hôtes un véritable tournoi !

Cette fois, tous les chevaliers revêtent leur équipement complet : les choses deviennent sérieuses.

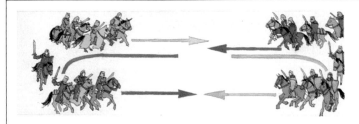

Le tournoi se pratique entre deux équipes. Elles commencent par s'éloigner l'une de l'autre puis reviennent au galop, tentent d'abattre leurs adversaires, passent, continuent sur leur lancée, tournent (d'où le nom de tournoi !) et reviennent à la charge. Et ainsi, tant qu'une ou l'autre équipe n'abandonne pas le terrain.

Souvent, ce jeu guerrier tourne mal.
Dans l'énervement, des coups sont échangés ; il arrive même qu'un chevalier, au bord de l'excitation, sorte son épée du fourreau et frappe.

Mais on le ramène bien vite à l'ordre : il s'agit d'une rencontre « courtoise », même si elle est tout aussi brutale qu'un vrai combat.

Lors de ce tournoi, le seigneur de Gannand sera lui-même sur le terrain : il tient à montrer, en ce jour où son fils devient chevalier, qu'il reste assez vigoureux pour participer à ce jeu dangereux.

Pourtant des seigneurs en pleine force de l'âge ont trouvé la mort au cours d'un tournoi.

Loin du château fort

Les chants se sont tus, les flambeaux sont éteints. Le château du Roncier retrouve son calme et la vie de tous les jours. Cependant, Arnoul, jeune chevalier, court dans tous les sens. Il fait ses préparatifs : Louis IX, roi de France, vient d'appeler ses vassaux à la croisade.

Arnoul l'Ancien, seigneur du Roncier, éprouve à la fois tristesse et fierté : tristesse de voir son fils aîné partir pour une expédition lointaine – le voyage d'outre-mer durera plus de deux ans ! Mais fierté de le voir participer à ce devoir sacré de tout chevalier : défendre les Lieux saints.

UN DEVOIR SACRÉ

Pour tous les membres de la chrétienté, l'idéal suprême est en effet d'accomplir le pèlerinage en Terre sainte (ce pays que nous appelons aujourd'hui Israël) sur le tombeau de Jésus-Christ. Mais au cours des siècles, d'autres croyants sont venus réclamer les mêmes lieux : ceux qui croient en l'islam, la religion de Mahomet. La guerre a fini par éclater et les chevaliers chrétiens ont débarqué sur la terre de Palestine.

Depuis le 11ᵉ siècle, plusieurs expéditions ont été conduites ; elles ont tour à tour conquis et reperdu les Lieux saints.

Au 13ᵉ siècle, le roi de France Louis IX (saint Louis) organisera deux croisades. Il sera fait prisonnier au cours de la première et mourra sur le chemin de la seconde.

◆ La flotte d'expédition

Dans la cour du château, les chariots sont prêts pour transporter l'équipement. Arnoul emmènera Rageant avec lui. Le voyage commencera par une longue marche vers le sud, en suivant le cours du Rhône jusqu'à la mer. Là, les croisés embarqueront, à Aigues-Mortes. Le voyage par bateau est plus risqué mais beaucoup plus rapide : il faudrait des mois pour rejoindre la Palestine par voie de terre alors que trois ou quatre semaines suffisent par la mer. Les navires sont spécialement équipés pour cette expédition. Les chevaliers et leurs bagages s'entassent comme ils peuvent sur des embarcations à peine plus grandes qu'un bateau de pêche de notre époque.

Hugues de Vaudemont
et sa femme (12ᵉ siècle).
Il porte la croix des soldats
qui partent pour la Terre sainte.

Dans les cales,
des cellules accueilleront
les chevaux.
Tout devrait bien
se dérouler, à moins
d'une tempête.

◆ Les ordres de chevalerie

Presque tous les seigneurs importants se sont croisés. En Terre Sainte, Arnoul fera partie de la suite du roi de France. S'il le souhaite, il pourra également entrer dans l'un des ordres de chevalerie qui ont été créés

Saint-Sépulcre   Saint-Jean de Jérusalem   Temple   Teutonique

depuis les premières croisades : les chevaliers du Saint-Sépulcre, ceux de Saint-Jean de Jérusalem ou les fameux chevaliers du Temple.

Les Templiers sont, dans la chevalerie, tenus un peu à l'écart. Ils prétendent vivre comme des moines et sont d'excellents combattants. Ils intriguent, ils font peur, mais on les admire.

La croisade est la grande aventure des chevaliers français. Ailleurs, leurs semblables ont d'autres occasions de faire preuve de bravoure. Les chevaliers d'Espagne ont leur propre croisade : les musulmans sont installés sur leur territoire et les chrétiens tentent de les en chasser. Parmi eux, se racontent les aventures d'un héros légendaire, Rodrigue Diaz de Bivar, surnommé le « Cid ».

En Europe centrale, les chevaliers ont une tâche encore plus difficile. Leur adversaire – les Mongols, les Bulgares, les Slaves – sont des peuples mal connus et inquiétants. Pour les combattre, il faut construire des châteaux sur des terres presque vierges. C'est l'œuvre des chevaliers Teutoniques ou des chevaliers Porte-Glaive.

Partout en Europe, les chevaliers sont là.

Les châteaux forts resteront dressés jusqu'à notre époque pour marquer
leur passage.

Les hommes de bataille

L'expédition d'outre-mer a débuté.
Les hasards de la guerre ont conduit
les chevaliers du roi de France sur les rives
du Nil : la croisade se trouve en Égypte.
La journée est chaude, pesante comme l'acier.
Les chevaliers avancent le long du fleuve.
Au loin, une ville, Mansourah.
Les chrétiens doivent la prendre pour gagner,
les musulmans doivent la tenir absolument.
La troupe française avance au pas des chevaux.
En arrière, marchent les soldats à pied.
Parmi eux, les archers et d'autres tireurs
habiles qui emploient une arme redoutable :
l'arbalète.

Sur cette miniature,
Templiers et musulmans s'affrontent...

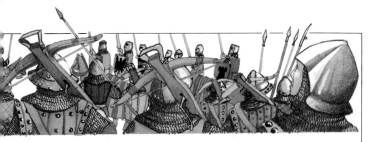

Mais les fantassins sont séparés de la cavalerie par une rivière ; et la troupe des musulmans n'est pas loin. Le combat est imminent.

◆ Des adversaires égaux

En face, on aperçoit aussi des chevaliers : on les appelle les mamelouks. Ils ont un grand courage, et une confiance entière dans leur religion.

Des cavaliers musulmans s'approchent des chrétiens et les harcèlent de flèches. Mais ceux-ci restent en rangs serrés, compacts. Auprès du roi, des hommes sont blessés. Les armures et les boucliers protègent pourtant des coups les plus mortels. Le souverain, au milieu de sa troupe, attend l'instant propice. Les chevaliers ne bougent pas.

Et soudain, un ordre éclate. La troupe des chrétiens semble se dissoudre. Les cavaliers abaissent leurs lances et piquent leurs chevaux de leurs éperons. L'allure s'accélère.

Là-bas, les cavaliers musulmans s'apprêtent à supporter le choc. Les épées brillent au soleil.

Parmi les cavaliers français, on compte des hommes célèbres : Pierre Mauclerc, comte de Bretagne, Jean de Ronay, vice-maître de l'Ordre de l'Hôpital, Hugues, duc de Bourgogne, et bien d'autres. Le roi est bien connu de tous : il se nomme Louis IX et deviendra, plus tard, saint Louis.

Parmi les chevaliers anonymes, il y a Arnoul de Gannand.

Celui-ci, en quelques semaines de guerre, est devenu un homme rude et sévère. Oubliées, les fêtes du château du Roncier et la douce campagne bourguignonne.
Son corps est protégé par une cotte de fer, constituée de mailles d'acier tressées.
Il porte un heaume, sorte de casque pesant qui couvre toute la tête.

Heaume et cotte de mailles
protègent ce chevalier
du 13e siècle.

A sa main, une lance. A l'autre, un bouclier et, bien serrées, les rênes de Rageant. A son côté, une épée longue. Derrière la selle, une hache et une épée plus courte.

◆ Le choc

La rencontre est brutale. Un bruit métallique résonne dans la plaine. L'engagement n'a rien à voir avec un tournoi : ici, il n'y a pas de règles. Il s'agit de tuer ou d'être tué.

Les coups portent de tous côtés. Épée, hache, cimeterre – l'épée courbe des musulmans –, pieu...

tout est bon. Le roi est en première ligne : pendant un moment, il se trouve même encerclé par six mamelouks qui tentent de le faire prisonnier. Ce serait une prise de choix, qui vaudrait une bonne rançon !

Mais il se dégage et revient sur le champ de bataille. Une heure passe. Puis deux, puis trois. Trois heures de combat sous le soleil.

Arnoul frappe, esquive, fait tournoyer Rageant. Il ne sent pas ses blessures : et pourtant le sang coule en plusieurs endroits de son corps.

Soudain, l'affrontement se fait moins violent. Les

adversaires paraissent inquiets, font cabrer leurs chevaux et se retirent du terrain dans un nuage de poussière.

Arnoul comprend : les archers ont enfin réussi à traverser la rivière. Ils se sont postés en ligne et ont commencé à frapper les mamelouks. Les arbalétriers tirent calmement : leurs coups font mouche et sont mortels presque à chaque fois. Il ne s'agit pas de flèches, mais de projectiles plus trapus et plus lourds – les *carreaux* d'arbalète.

Une fois de plus, les chevaliers doivent leur salut à ces petits hommes à pied, les *piétons* (fantassins), que pourtant ils méprisent trop souvent.

En quelques instants, le terrain se dégage. Les chevaliers français, d'un seul mouvement, s'arrêtent et respirent. Pour le moment, ils ont gagné. Mais demain, le combat ne tournera-t-il pas en faveur des mamelouks ? Personne ne peut l'affirmer.

Le siège du château

En partant à la croisade, le roi a mis toute sa confiance en ceux qui restent dans le royaume pour le garder en paix. Au château du Roncier, les hommes redoublent de vigilance. Le seigneur Arnoul VI conduit patrouilles sur patrouilles.

Pourtant, cela n'a pas suffi : un matin, les gens du château apprennent avec horreur que la campagne est dévastée par un ennemi inconnu.

Trois jours plus tard, le château est assiégé.

Arnoul l'Ancien s'est rué au sommet du donjon. Il scrute les environs et aperçoit dans le lointain une bannière : c'est celle de Guy Marchenoir, un seigneur voisin dont le château, à demi en ruine, tient une vallée d'Auvergne.

Mi-brigand, mi-chevalier, Guy Marchenoir travaille pour son compte, mais prétend être au service

du roi d'Angleterre. De la campagne s'élèvent des fumées noires, sinistres : ils ont probablement brûlé quelque ferme et pillé la récolte.

Les fermiers se sont mis à l'abri des courtines dès l'annonce du danger.

◆ Une approche calculée

Quelques coups sont échangés, à distance. Des flèches volent, ainsi que des pierres. Guy dispose d'une troupe impressionnante : plusieurs centaines d'hommes ! Que font-ils donc ?

On dirait qu'ils bâtissent une maison au bord du fossé. Arnoul sent le piège. Il fait concentrer le tir des archers sur la construction, avec des flèches enflammées. Rien n'y fait : le chantier est habilement protégé par des peaux humides qui ne brûlent pas.

Bientôt, Arnoul comprend : sous ce toit de fortune, appelé « chat », les gens de Marchenoir transportent des quantités de terre pour tenter de combler le fossé. Et il ne peut rien faire !

Pendant douze jours, ce travail de fourmis se prolonge. Les ennemis avancent en jetant dans l'eau tout ce qu'ils trouvent : branches, animaux morts, pierres, terre. Bientôt, le fossé sera traversé par une véritable digue.

Arnoul a confiance dans la hauteur des murs et dans leurs protections multiples.

Mais là-bas, Guy a fait construire une lourde machine de bois. Une catapulte !

Elle se met en action : c'est terrifiant. L'arme est silencieuse mais efficace. A chaque coup, une pierre de plusieurs dizaines de kg s'abat sur le château du Roncier. Ces projectiles frappent les courtines, le donjon, les toits, les écuries. Et l'inquiétude gagne.

◆ La mine

Les assiégeants sont collés au pied de la muraille comme une bête malsaine. Pour les en déloger, Arnoul fait déverser sur eux toutes sortes de choses : poix bouillante – sorte de résine brûlante –, pierres, flèches, ordures même.

Soudain, une fumée s'élève : les attaquants reculent. Une grande flamme éclate en léchant le mur.

L'incendie dure un long moment : les assiégés n'ont pas assez d'eau pour l'éteindre. Bientôt, un craquement se fait entendre. Le mur se lézarde sous l'action de la chaleur. Par la brèche, Guy Marchenoir va pouvoir lancer ses hommes.

Et il ne perd pas de temps.

Les assiégeants se ruent sur la digue avec des échelles et leurs armes. Ils commencent sans plus attendre leur escalade.

Le seigneur du Roncier met alors en action toutes les défenses du château. Les archers tirent de toutes

parts, aussi vite qu'ils le peuvent, protégés par les hourds et les mâchicoulis.

Les gens de Marchenoir s'effondrent dans le fossé. Des dizaines d'hommes tombent, morts ou blessés. Des cadavres flottent à la surface de l'eau.

Au soir, Guy Marchenoir renoncera à son attaque. Mais ce n'est qu'un répit.

◆ L'assaut final

Arnoul n'entend pas rester inactif. Les réserves du château finiront par s'épuiser, même si,
à l'intérieur de la basse-cour,
on continue de cultiver quelques

parcelles de terre. Les chevaux manquent déjà de nourriture.

Il ne serait pas très habile d'attendre que les soldats soient affaiblis par les privations pour se lancer dans le combat. Non, c'est maintenant qu'il faut tenter une sortie. Arnoul sait déjà qu'il la lancera au lever du soleil, quand les assiégeants seront éblouis par la lumière qu'ils recevront en plein visage. Ainsi, ils remarqueront moins les mouvements du pont-levis. Arnoul compte aussi sur la chance.

La nuit se passe dans le calme. Les soldats se préparent dans le plus grand silence.

Brusquement, au petit matin, ils se ruent à l'extérieur. Les hommes de Marchenoir sont surpris dans un demi-sommeil.

Arnoul marche devant sa troupe. Sur son cheval, il galope et virevolte au milieu des assiégeants stupéfaits. Il frappe de droite et de gauche : à le voir, on lui donnerait vingt ans. Marchenoir vient à sa rencontre : le duel ne dure qu'un instant. Guy est désarçonné et abattu d'un coup d'épée. Sa bannière est arrachée.

Les assiégeants prennent peur et, subitement, se débandent. Quelques instants plus tard, il ne reste plus devant le château du Roncier que des ruines fumantes. C'est alors qu'Arnoul remarque que Marchenoir avait commencé à construire une tour d'assaut. Il était grand temps.

Les blessés sont ramenés à l'abri, les morts enterrés. Épuisé, sanglant, Arnoul de Gannand rentre au pas de son cheval. Plus que jamais, le château du Roncier a prouvé son utilité et le soleil se couche sur une forteresse blessée mais invaincue.

Index

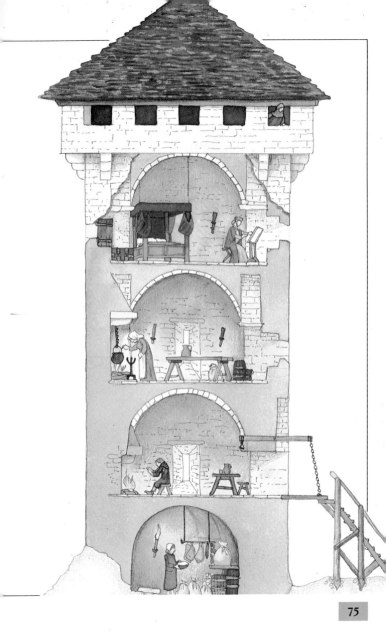

Avec les chevaliers du 13ᵉ siècle

L'auteur

Historien, enseignant, Philippe Brochard est directeur de l'École commerciale suisse de Paris. Il a écrit de très nombreux ouvrages pour les jeunes. La mer, les Celtes et le monde médiéval sont ses sujets préférés, ceux sur lesquels il ne cesse de réunir nouveaux livres et documents.

Conception graphique de la couverture
Malte Martin